Weil du ein wunderbarer Junge bist

Sabine Jahn

Autorin wird vertreten durch: Pisionary Publishing Ltd
Adonis Village O3 (Aphrodite Hills), 8509 Kouklia, Cyprus
Jahr der Veröffentlichung: 2022
Verantwortlich für den Druck: Libri Plureos GmbH
Weil du ein wunderbarer Junge bist
ISBN: 978-3-9823695-8-7
2. Auflage 2024
© 2022 Sabine Jahn , Wupi Dupi FZ-LLC, Pisionary Publishing Ltd

Das Werk, einschließlich seiner Teile, ist urheberrechtlich geschützt. Jede Verwertung ist ohne Zustimmung des Herausgebers unzulässig. Alle Rechte, insbesondere das Recht der Vervielfältigung und Verbreitung sowie die Übersetzung, vorbehalten. Kein Teil des Werkes darf in irgendeiner Form (durch Fotokopie, Mikrofilm oder ein anderes Verfahren) ohne schriftliche Genehmigung des Verlages reproduziert oder unter Verwendung elektronischer Systeme gespeichert, verarbeitet, vervielfältigt oder verbreitet werden.

Inhalt

Einleitung 4

Ben und das Eichhörnchen 11

Die Mutprobe 35

Das Diktat 51

Die Herausforderung 67

Alle meine Entchen 83

Schlusswort 101

Einleitung

Hey du! Schön, dass du dir Zeit nimmst, dieses Buch zu lesen. Du bist bestimmt schon neugierig, was dich erwartet. Aber zuerst will ich dir ein Geheimnis verraten. Es ist ein sehr wichtiges Geheimnis, das dich dein ganzes Leben begleiten kann. Also pass gut auf und ließ die folgenden Zeilen mit voller Aufmerksamkeit.

Weißt du eigentlich, dass du etwas ganz Besonderes bist? Auch wenn es auf dieser

Welt Millionen Jungen und Mädchen gibt, gibt es dich nur genau ein einziges Mal. Niemand ist genauso wie du. Du bist völlig einzigartig und daran solltest du immer denken. Gerade in den schwierigen Situationen deines Lebens darfst du niemals vergessen, dass du besonders und wichtig für diese Welt bist. Und zwar genau so, wie du bist.

Manchmal ist das Leben gar nicht so leicht: Es gibt viele kleine und große Herausforderungen in unserem Leben. Jede Hürde braucht Selbstbewusstsein, Mut und Selbstvertrauen. Manchmal wirst du vielleicht denken, dass du es nicht schaffen kannst. Vielleicht wirst du sogar große Angst haben und an dir selbst zweifeln. Doch die Wahrheit ist: Von Zeit zu Zeit geht es jedem Menschen so. Sogar den Erwachsenen! Ja, du hast richtig gehört: Mama, Papa, Oma, Opa und auch deinen Lehrern fehlt manchmal Mut und Zuversicht. Also lass den Kopf nicht hängen, gib nicht auf und verliere niemals den Glauben zu dir selbst.

Jeder einzelne Tag steckt voller Überraschungen. Es gibt wundervolle Tage, von denen du dir wünschst, dass sie niemals enden werden. Aber jeder Mensch wird früher oder später auch Tage erleben, an denen nicht alles nach Plan läuft. Es passieren dann Dinge, die uns sehr traurig, ängstlich oder sogar wütend machen. Aber auch diese Tage gehören zum Leben dazu. Ein Leben ohne schlechte Erfahrungen kann es nicht geben. Denn ohne Böse gäbe es auch kein Gut.

In den Geschichten dieses Buches wirst du großartige Jungen kennen lernen. Jungen, die ihre Angst überwinden. Jungen, die mutig sind. Jungen, die innere Stärke zeigen. Ich bin mir ganz sicher, dass auch du das alles schaffen kannst. Doch dafür musst du beginnen, an dich selbst zu glauben. Ich hoffe, dass dir diese Geschichten dabei helfen werden. Auf den folgenden Seiten werden kleine und große Träume wahr.

PS: Nach jeder Geschichte findest du noch ein Mandala mit einer besonderen Botschaft. Du kannst das Mandala ausmalen. Am besten mit vielen unterschiedlichen leuchtenden Farben. So wirst du die Botschaft noch besser verinnerlichen können.

Ich wünsche dir viel Spaß beim Lesen!

Ben und das Eichhörnchen

Der Wecker klingelte und riss Ben aus einem tiefen Traum. Er gähnte laut und noch ganz verschlafen rieb er sich seine Augen. Ben war ein heiterer Junge mit kurzen, braunen Haaren. Er war letzte Woche acht Jahre alt geworden und ging in die zweite Klasse. Ben streckte und reckte sich im Bett und stand dann langsam auf. Er ging zum Fenster seines Zimmers und schob vorsichtig die gelben Vorhänge zur Seite. Dann öffnete er das Fenster. Es war sieben Uhr morgens und die ersten Sonnenstrahlen des Tages erleuchteten den ganzen Raum. Die frische Morgenluft strömte ihm entgegen.

Er atmete tief durch und blickte aus dem Fenster auf die großen Bäume und die unzähligen Blumen, die sich im Garten seines Hauses auf der Wiese befanden. Es war ein wirklich wunderschöner Morgen, aber trotzdem fühlte sich Ben heute

nicht besonders gut. Eigentlich liebte er diese warmen Sommertage. Normalerweise konnte der kleine Junge es gar nicht erwarten, endlich nach draußen zu laufen, um sich im Garten auszutoben. Doch heute wäre er am liebsten den ganzen Tag drinnen in seinem Kinderzimmer geblieben.

Zu viele wirre Gedanken gingen ihm durch den Kopf und er hatte große Angst vor dem, was ihm heute bevorstand. Wie gerne hätte er den heutigen Tag einfach verschlafen und weitergeträumt. Aber das ging natürlich nicht. Mama hätte ihn sicherlich schon bald aufgeweckt, damit er nicht zu spät zur Schule kommen würde.

Ben wanderte noch eine Weile unruhig in seinem Zimmer umher. Schließlich gab er sich einen Ruck, zog sein blaues T-Shirt an und machte sein Bett, so wie jeden Tag. Außerdem packte er seinen Schulranzen mit allen Heften und Büchern für den heutigen Schultag. Er vergaß auch nicht, seine Sporttasche mitzunehmen, in der sich Trainingshose und Sportschuhe befanden. Am Freitag hatte er in der letzten Stunde immer Sport. Normalerweise liebte Ben diese Stunde, aber heute war alles völlig anders. Er wusste genau, was heute anstand. Bereits letzte Woche kündigte Bens Klassenlehrerin Frau Windholz an, dass sie in der nächsten Sportstunde die Sprossenwand hochklettern würden. Für Ben gab es dabei aber ein Problem: Er hatte riesengroße Angst davor. Noch nie in seinem Leben war er irgendwo hochgeklettert. Mit einem Kloß im Hals dachte er an seine Klassenkameraden. Die würden ihn sicherlich auslachen oder ihn sogar einen Feigling nennen.

Hunderte Gedanken schwirrten Ben durch den Kopf und ihm wurde mulmig zumute.

Plötzlich klopfte es an seiner Tür. Es war Bens Mama, die wissen wollte, ob Ben schon wach war. „Ich komme schon, Mama!", rief Ben. Mama öffnete die Tür und sagte: „Guten Morgen mein Schatz. Ich hoffe, dass du gut geschlafen hast. Ich habe uns Frühstück zubereitet. Du musst dich ein wenig beeilen. Es ist schon spät und bald beginnt die Schule!". „Ich bin gleich fertig. Einen Moment noch!", erwiderte Ben. Er schwang den Schulranzen auf seinen Rücken und griff mit der rechten Hand nach der Sporttasche.

Gerade als er das Fenster in seinem Zimmer schließen wollte, hörte er ein lautes Rascheln von draußen. Neugierig blickte er nochmals hinaus, um herauszufinden, woher dieses

Geräusch gekommen war. Da sah er es! Ein kleines, rotbraunes Eichhörnchen kletterte flink einen großen Baum im Garten hinauf. Ruckzuck war es an der Baumspitze angelangt.

„Ach, wenn ich doch nur so gut klettern könnte wie du, mein kleines Eichhörnchen. Dann wäre die Sprossenwand für mich ein Kinderspiel und ich müsste keine Angst mehr haben ...", seufzte Ben leise vor sich hin. Betrübt schloss er das Fenster und machte sich auf den Weg zur Küche.

Dort hatte Mama schon das Frühstück zubereitet. Es gab frische Brötchen mit leckererer Erdbeermarmelade und warmen Kakao zum Trinken. Auch Papa saß schon am Tisch und trank genüsslich seinen Kaffee, während er in sich vertieft die Zeitung las.

Ben hatte nicht wirklich Hunger, denn er machte sich große Sorgen. Aber Mama sagte immer, dass es wichtig wäre, das Haus morgens nicht ohne Frühstück im Bauch zu verlassen. Also hielt sich Ben schweren Herzens auch heute daran und aß ein kleines Brötchen mit Marmelade. Schließlich wollte er nicht während des Unterrichts Hunger bekommen. „Was steht denn heute in der Schule an?", fragte Papa interessiert. Ben schluckte schnell den letzten Bissen hinunter und antwortete: „Erst habe ich Mathe, danach Deutsch und in der letzten Stunde noch Sport!"

Für einem Moment spielte Ben mit dem Gedanken, seinen Eltern von seiner Angst vor der Sprossenwand zu erzählen.
Aber dann entschied er sich doch anders. Irgendwie wollte er jetzt nicht mit Mama und Papa darüber sprechen, obwohl er sonst alles mit ihnen beredete. Nach dem Frühstück rannte er ins Bad, putzte sorgfältig seine Zähne und kämmte mit der Bürste seine Haare. Anschließend verabschiedete er sich von seinen Eltern, die ihm noch einen Kuss auf die Stirn gaben und ihm einen schönen Tag in der Schule wünschten.

Nun machte sich Ben auf den Weg zum Bus. Die Bushaltestelle war von Bens Haus nur ein paar Minuten zu Fuß entfernt.
Plötzlich hörte er wieder ein Rascheln. Schon wieder sah er das kleine Eichhörnchen von vorhin. Es hatte eine Nuss in seinen

Pfoten und war nur wenige Meter von Ben entfernt. Auch das Eichhörnchen bemerkte jetzt den Jungen. Es stellte sich auf die Hinterpfoten und blickte Ben tief in die Augen. „Du willst mir doch nicht etwa meine Nuss wegnehmen, oder?", fragte das Eichhörnchen frech. Ben stand mit geöffnetem Mund und weit aufgerissenen Augen vor dem niedlichen Tier und konnte es nicht fassen, was hier gerade passierte. Hatte das Eichhörnchen denn gerade wirklich mit ihm gesprochen oder träumte er nur? „Du … du … du kannst sprechen?", stotterte Ben immer noch ganz ungläubig. „Ja, das kann ich. Doch mit Menschen rede ich eigentlich nur selten. Aber für dich mache ich heute eine Ausnahme lieber Ben, weil ich dich mag!", entgegnete das Eichhörnchen. „Wo…wo…woher kennst du meinen Namen?", fragte Ben völlig erstaunt. „Na, wir sind doch Nachbarn! Ich lebe schon einige Zeit auf dem Birkenbaum dort drüben, der in deinem Garten steht. Von dort aus sehe ich dir manchmal zu, wie du mit deinen Freunden spielst oder wie du dich mit deinen Eltern unterhältst. So habe ich irgendwie erfahren, wie du heißt. Ach ja, mein Name ist übrigens Frederik. Aber du kannst mich einfach Fred nennen. Aber sag mal, ihr Kinder müsst doch morgens zur Schule gehen? Ich denke, du musst bald los!", murmelte das Eichhörnchen. „Hallo Fred. Schön, dich kennen zu lernen!", antwortete Ben erfreut mit einem Lächeln auf den Lippen. Dann fuhr er mit ernsterer Stimme fort: „Naja, eigentlich möchte ich heute gar nicht zur Schule gehen. Ich soll im Sportunterricht eine Sprossenwand hochklettern und ich habe unheimliche Angst davor."

„Aber davor musst du doch gar keine Angst haben. Atme tief durch und schau während dem Klettern nicht nach unten. Du wirst merken, dass es gar nicht so schwierig ist!", meinte Fred und nickte mit seinem winzigen Köpfchen, um Ben aufzumuntern.

„Na, du kannst ja leicht reden. Du bist schließlich ein Eichhörnchen und ihr könnt alle super klettern. Aber ich kann das nicht!", seufzte Ben verzweifelt. Fred bekam nun Mitleid mit dem kleinen Jungen. Er kratzte sich mit seiner rechten Pfote am Kopf und überlegte eifrig, wie er denn Ben helfen könnte. Dann fing er an zu erzählen: „Ja, du hast völlig Recht. Heute kann ich wirklich prima klettern. Aber weißt du, das war nicht von Anfang an so. Ich erinnere mich an die Zeit zurück, als ich noch ein kleines Baby-Eichhörnchen war. Als ich zum ersten Mal alleine einen hohen Baum hochklettern sollte, hatte ich mindestens so viel Angst davor, wie du jetzt. Ehrlich gesagt: Es ist auch in Ordnung, dass man vor neuen Dingen erst einmal Angst und Bedenken hat. Aber dies sollte uns nicht daran hindern, nach den Sternen zu greifen und uns unsere Träume zu erfüllen. Wenn du wirklich diese Sprossenwand hinaufklettern willst, dann musst du fest an dich glauben. Ich jedenfalls glaube an dich. Du schaffst das!"

Ben hörte Fred aufmerksam zu und plötzlich schöpfte der Junge neuen, unbändigen Mut. Fred hatte sicherlich Recht. Er konnte es schaffen, wenn er an sich selbst glaubte. Gerne hätte er noch weiter geplaudert mit ihm, aber nun musste er sich wirklich beeilen, um nicht zu spät zur Schule zu kommen.
„Danke für deine Hilfe, Fred.
Ich werde sicherlich an deine Worte denken. Du hast mir wirklich sehr geholfen.
Ich hoffe, wir sehen uns bald wieder."
Hastig winkte er Fred zu. Aber der war schon wieder geschwind auf einem Baumstamm emporgerast, blickte kurz zu Ben und verschwand anschließend im dichten Geäst. Mit neuem Lebensmut stieg Ben in den Bus ein und fuhr zur Schule. Er beschloss, dass er sich seiner Angst stellen werde.

„Dingdong!", läutete die Schulglocke. Nun war es soweit. Ben konnte sich am Vormittag kaum auf den Unterricht konzentrieren. Er musste immer wieder an Fred und seine Worte denken. Endlich war es 11 Uhr und der Sportunterricht begann. Die Kinder gingen zusammen mit ihrer Klassenlehrerin Frau Windholz in die Sporthalle, die gleich neben dem Schulgebäude lag. Nachdem sich alle umgezogen hatten, versammelten sie sich vor der Sprossenwand. Frau Windholz sagte nun zu den Kindern: „Wie bereits letzte Woche angekündigt, werden wir heute an der Sprossenwand hinaufklettern."
Zuerst mussten sich alle mit ein paar

Aufwärmübungen vorbereiten und sich danach hintereinander aufstellen. Einer nach dem anderen kletterte nun die Sprossen hinauf. Einige schnell und geschickt, andere langsam und sehr vorsichtig.

Bens Herz begann vor Aufregung schneller und schneller zu schlagen. Er blickte wie gebannt auf die vielen Sprossen, die er nun bewältigen sollte. Auf dem Boden davor waren weiche, blaue Matten ausgelegt, damit sich niemand verletzten konnte. Das beruhigte Ben ein wenig, aber er war dennoch sehr nervös. Die Sprossenwand war zwar nicht sonderlich hoch, aber für Ben wirkte sie in diesem Moment wie der höchste Berg der Erde. Er stellte sich ganz hinten in der Reihe auf, um erst einmal den anderen Kindern zusehen zu können. Er erkannte dabei, dass auch viele der anderen Kinder aufgeregt waren.

Jetzt war Ben an der Reihe. Sofort begann sein Herz wieder laut zu pochen, aber er würde jetzt auf keinen Fall aufgeben.
Er musste es zumindest versuchen und sein Bestes geben. Er dachte nochmals an die Worte von Fred und ging dann entschlossen auf die Sprossenwand zu. Ben schloss für einen kurzen Moment seine Augen und atmete nochmals ganz tief durch. Dann begann er, hinaufzuklettern. Die ersten Sprossen fühlten sich noch schwierig an und seine Füße zitterten ein wenig. Aber mit jedem Schritt und mit jedem Griff, den er machte, fühlte es sich leichter und leichter an. Noch ein Stück und noch ein Stück. Wie weit war er schon gekommen? Er war jetzt ein wenig neugierig und versuchte, einen Blick zu erhaschen. Doch dann erinnerte er sich wieder an das, was Fred ihm angeraten hatte. Er sollte doch nicht

nach unten schauen! Er hielt kurz inne und sammelte erneut seine Kräfte. Noch ein weiterer Schritt und nun war er ganz oben angekommen. Nach einer kurzen Pause kletterte er vorsichtig nach unten, bis seine Füße wieder den Boden berührten. Fertig! Er hatte es geschafft! Juhu! Was er heute Morgen noch für unmöglich hielt und was ihm so große Angst bereitete, hatte er jetzt bewältigt. Ein Gefühl der Freude stieg in ihm auf. Sein Gesicht strahlte wie die Sonne.

„Das war großartig, wie du nach oben geklettert bist, Ben. Fast so geschickt wie ein Eichhörnchen!", lobte Frau Windholz den Jungen und zwinkerte ihm zu, als ob sie von seinem Lehrmeister wusste.

Der Sportunterricht war auch schon zu Ende und Ben machte sich zusammen mit seinem

Freund Paul auf den Weg nach Hause.
Am liebsten hätte er Paul die Geschichte von seinem neuen, kleinen Freund erzählt, aber es sollte sein besonderes Geheimnis bleiben. Noch immer schien Ben sich wie in einem Traum zu befinden. Es dauerte eine Zeit, bis er wirklich begriff, was geschehen war.

Er hüpfte den restlichen Weg nach Hause, von einem Bein auf das andere und dachte immer wieder daran, wie er die Sprossenwand erklommen hatte und welches Gefühl der Freiheit er verspürte. Er war überglücklich. Zuhause angekommen konnte Ben es gar nicht erwarten, endlich Fred davon zu erzählen. Er sollte es unbedingt als erster erfahren. Also lief er in den Garten und blieb direkt unter dem Birkenbaum stehen.

„Fred, wo bist du?", rief der Junge und schaute sich nach allen Richtungen um. Immer wieder rief er so laut er konnte und es war ihm völlig egal, ob ihn dabei irgendjemand hörte. Er musste es ihm einfach erzählen. Plötzlich kam Fred geschwind angelaufen.

Sein buschiges Schwänzchen wedelte dabei hin und her und schon stand er vor Ben und sah ihn fragend an. „Fred, da bist du ja endlich! Du wirst es nicht glauben!
Ich bin ganz nach oben geklettert.
Ohne deine Ratschläge hätte ich das nie geschafft. Danke für deine Hilfe!", erzählte Ben freudestrahlend und am liebsten hätte er das niedliche Tierchen in seine Arme genommen. Fred bäumte sich etwas zu ihm auf und antwortete: „Bitte. Aber das hast du dir allein zu verdanken. Du bist schließlich

geklettert, nicht ich. Ich habe dir nur einen Rat gegeben. Ich war überzeugt, dass du es schaffen wirst. Und ich bin mir auch ganz sicher, dass du noch so viel mehr in deinem Leben erreichen wirst, wenn du nur an dich glaubst. Aber jetzt muss ich weiter Nüsse und Samen für den Winter sammeln.
Auf Wiedersehen und bis bald."
Ben hätte sich so gerne noch weiter mit Fred

unterhalten, aber ehe er sich versah, war Fred auch schon wieder flink auf einen Baum geklettert und war spurlos hinter den Ästen und Blättern verschwunden.
Ben brauchte nun einen Moment, um die Worte seines neuen Freundes wirklich zu verstehen.
Noch immer fühlte er sich als wäre er in einem wunderschönen Traum gefangen. Fred hatte Recht. Er war alleine geklettert und hatte es geschafft, weil er seine Angst besiegte.
Aber dennoch war Fred ihm eine große Hilfe gewesen und dafür würde er ihm auf ewig dankbar sein. Mit einem Lächeln schaute Ben noch einmal nach oben zu dem Baum, um vielleicht doch noch einen Blick auf Fred zu

erhaschen. Aber Fred war inzwischen schon wieder auf einen anderen Baum gesprungen und war damit beschäftigt, weiter nach Vorräten für den Winter zu suchen.

Heute lernte Ben, dass er selbst viel mehr schaffen konnte, als er anfangs dachte. Vieles war möglich, wenn er nur an sich selbst glaubte. Wer weiß, vielleicht würde er eines Tages sogar Bergsteiger werden und die höchsten Berge der Welt erklimmen? Wie auch immer sein Leben in Zukunft aussehen mag, diesen Tag würde er nie mehr vergessen.

Danke Fred!

Die Mutprobe

Weißt du, was eine Mutprobe ist? Vielleicht hast du irgendwann schon einmal davon gehört. Bei einer sogenannten Mutprobe soll man etwas tun und dabei seine Angst überwinden. Zum Beispiel eine Spinne auf der Hand krabbeln lassen, eine Brennnessel anfassen oder sogar einen Regenwurm essen. Igitt! In dieser Geschichte geht es um so eine Mutprobe.

Noah war zehn Jahre alt und ging in die vierte Klasse. Er war ein äußerst fröhlicher Junge. In der Schule hatte er zwei sehr gute Freunde gefunden. Sie hießen Kevin und Felix und waren in der gleichen Klasse wie Noah. Die drei Jungen trafen sich gerne nach der Schule und sie verbrachten viel Zeit miteinander. Sie machten zusammen die Hausaufgaben, spielten Karten oder alberten einfach nur herum. Auch heute trafen sie sich wieder einmal bei Noah zu Hause.

Nachdem sie eine Stunde in der Wohnung Mikado spielten, entschlossen sie sich dazu, nach draußen zu gehen. Es war ein lauwarmer Nachmittag im August und es war angenehm warm. Nur ein paar kleinere Wolken verdeckten hin und wieder die strahlende Sonne und Vögel zwitscherten vergnügt auf den Bäumen.

Noah wohnte mit seinen Eltern etwas außerhalb der Stadt in einer ländlichen

Gegend mit vielen Bäumen, Sträuchern und Wiesen voller Blumen. Auf den Wiesen weideten ab und zu sogar Schafe und Kühe. Seit ein paar Wochen machten die drei Jungen immer Mutproben, wenn sie alleine in der Natur waren. Kevin und Felix kamen auf die Idee, ab und zu mal etwas Verrücktes zu machen. Noah hingegen fand die meisten Mutproben ganz und gar nicht gut.
Aber er traute sich nicht, seinen Freunden seine Meinung zu sagen. Schließlich wollte er nicht von Kevin und Felix als Angsthase bezeichnet werden oder als Spielverderber dastehen. Deshalb machte Noah bis jetzt bei jeder Mutprobe mit, obwohl er Vieles weder cool noch richtig fand.

Als die Jungs an einem hohen Nussbaum vorbeispazierten, kam Kevin mal wieder auf einen Gedanken für eine neue Mutprobe.

Voller Begeisterung sagte Kevin zu Noah und Felix: „Mir ist gerade eine Mutprobe eingefallen. Seht ihr den großen Baum dort drüben? Wer von euch traut sich, dort hochzuklettern?"

Noah schluckte. Er runzelte nachdenklich die Stirn. Auf einen so hohen Baum zu klettern war ihm gar nicht geheuer.

Er nahm all seinen Mut zusammen und entschloss sich dazu, seine Meinung zu sagen: „Also ich finde, dass das keine gute Idee ist. Wenn man von so weit oben runterfällt, kann man sich sämtliche Knochen brechen! Ich werde auf keinen Fall da hochklettern und ich hoffe, dass ihr das auch nicht macht! Auf einen so hohen Baum zu klettern, ist viel zu gefährlich!"

Zum allerersten Mal sprach Noah offen aus, was er wirklich dachte.

„Hast du etwa Angst?", fragte Kevin mit einem schelmischen Grinsen.

„Du hörst dich an wie ein Angsthase! Noah ist ein Angsthase!", rief Felix mit lauter Stimme.

Für Noah fühlte es sich gar nicht gut an, dass sich Kevin und Felix sich über ihn lustig machten. Aber trotzdem blieb er bei seiner Entscheidung, nicht auf den Baum zu klettern. Es war einfach viel zu gefährlich für ihn.

Kevin ging nun zu dem Baum und sagte dann selbstbewusst: „Na gut. Dann werde ich dem Angsthasen eben zeigen, dass es halb so wild ist, auf diesen Baum zu klettern. Seht mir jetzt genau zu!"

Dann fing Kevin an zu klettern. Ast für Ast zog er sich immer weiter in die Höhe. Bei jedem Schritt, den er machte, knackste es

und es fielen zwischendurch immer wieder dünne, abgebrochene Zweige zu Boden. Bei der Hälfte angekommen stieg er auf einen dickeren Ast, um kurz Pause zu machen. Von dort aus sah er hinunter zu Noah und Felix. „Seht mal wie hoch ich schon bin! Ich habe doch gesagt, dass man keine Angst haben muss. Das ist total einfach!", jubelte Kevin. Doch dann geschah es plötzlich!

Vor lauter Freude war Kevin für einen Moment unaufmerksam geworden und er verlor das Gleichgewicht. Mit aller Kraft versuchte er sich noch an einem Ast festzuhalten, doch es war zu spät. Er fiel vom Baum und landete mit einem dumpfen Ton auf der Wiese.

„Aua!", stöhnte Kevin vor Schmerz. Er war direkt auf seinen rechten Oberschenkel gefallen. Sofort liefen Noah und Felix zu ihm, um ihm zu helfen. „Ist alles in Ordnung mit dir? Hast du Schmerzen?", fragte Noah besorgt. „Ich glaube ich habe mir das Bein gebrochen.  Außerdem ist mir so schwindlig. Ich brauche einen Arzt. Helft mir bitte!", schluchzte Kevin mit Tränen in den Augen. Noah zögerte keinen Moment und rannte so schnell er konnte nach Hause.

Dort erzählte er völlig aufgebracht seiner Mutter von dem, was Kevin passiert war. Noahs Mutter wählte die Nummer 112 und rief den Notarzt. Dann lief Noah in Windeseile wieder zurück zum Unfallort, um dort mit Kevin und Felix auf den Krankenwagen zu warten.

Ungefähr zehn Minuten später war der Notarzt eingetroffen. Er trug einen weißen Kittel und hatte einen Arztkoffer bei sich, um Kevin genau untersuchen zu können. Er tastete vorsichtig das Bein ab und sagte dann: „Ich denke es wäre das Beste, dein Bein im Krankenhaus zu röntgen." Mit einem blauen, eiskalten Plastikbeutel kühlte er das verletzte Bein, um die Schwellung zu reduzieren. Anschließend wurde Kevin vorsichtig mit einer Bahre in den Krankenwagen gebracht und ins Krankenhaus gefahren. Felix und Noah begleiteten ihm, um ihm in dieser schwierigen Situation Beistand zu leisten. Während die drei Jungen auf das Röntgenbild warteten, sagte Kevin zu Noah: „Du hattest Recht. Das war wirklich eine

dumme Idee für eine Mutprobe. Ich hätte auf dich hören sollen, aber stattdessen habe ich dich ausgelacht. Es tut mir so leid! Danke, dass du so schnell einen Arzt für mich gerufen hast. Du bist ein wirklich toller Freund!"

Auch Felix entschuldigte sich bei Noah: „Auch mir tut es leid, dass ich dich vorhin Angsthase genannt habe. Das war echt gemein von mir und nicht in Ordnung.

Entschuldigung."
„Ist schon in Ordnung. Wir alle machen manchmal Fehler. Außerdem sind wir doch echte Freunde! Eure Entschuldigung ist angenommen!", antwortete Noah mit einem

Lächeln im Gesicht.
Nun kam der Arzt zurück. Er hielt ein großes

Röntgenbild in der Hand, auf dem Kevins Oberschenkel abgebildet war. „Du hast noch mal Glück gehabt, Kevin. Du hast dir zwar eine starke Prellung zugezogen, aber das Bein ist nicht gebrochen!
Du musst jetzt einige Zeit dein Bein schonen und mit einer speziellen Salbe eincremen. In zwei bis drei Wochen wird alles wieder gut sein. Nur mache nicht mehr solche gefährlichen Sachen", mahnte der Arzt.
Sofort atmeten die drei Jungen auf. Gott sei Dank war Kevin nichts Schlimmeres passiert.

Noah war froh darüber, dass er auf sein Herz hörte. Mut bedeutet zwar, dass man sich traut, etwas zu wagen. Aber auch Sicherheit und das Einschätzen, ob etwas zu gefährlich sein könnte, ist von Bedeutung. Man muss nicht immer den Superhelden spielen, um

Mut zu beweisen.
Es zeigt auch Mut, „Nein" zu sagen, wenn man etwas nicht tun will.

Manchmal beweist man mit einem „Nein" sogar mehr Mut als durch eine Mutprobe. Das hatte Noah heute gezeigt.

Das Diktat

Angespannt saß Leon auf seinem Platz. Immer wieder blickte er zur Tür. Bald würde Herr Schmidt in das Klassenzimmer kommen und den Deutschunterricht beginnen. Hektisch malte er einen kleinen Hund auf seinen Zeichenblock. Leon fing immer an zu malen, wenn er aufgeregt war.
So konnte er auf andere Gedanken kommen und sich wenigstens etwas ablenken.
Aber heute wollte das irgendwie nicht so richtig funktionieren.

Die Anspannung war einfach zu groß.
Neben Leon saß sein Freund Luca.
Die beiden hatten sich bereits im Kindergarten kennengelernt und waren seitdem gute Freunde geworden. Nun gingen sie in die gleiche Klasse und waren Sitznachbarn.

Leon sagte zu Luca: „Heute bekommen wir doch das Diktat von letzter Woche zurück. Ich habe gar kein gutes Gefühl, wenn ich an meine Note denke. Ich habe sicherlich viele Fehler gemacht. Das Diktat war ziemlich schwer."
Anders als Leon, schien Luca überhaupt nicht aufgeregt zu sein. Das lag wohl daran, dass Luca in Deutsch immer nur Einsen schrieb und auch bei diesem Diktat wohl eine sehr gute Note erwartete. Luca schaute Leon verwundert an und meinte: „Also ich

fand das Diktat ziemlich leicht!"
Gerade das wollte Leon jetzt gar nicht hören. Im Gegenteil! Natürlich würde er sich für seinen Freund freuen, wenn er mal wieder eine Eins bekommen würde. Aber insgeheim wäre es Leon eigentlich lieber gewesen, wenn auch Luca gemeint hätte, dass das Diktat für ihn nicht gerade einfach gewesen war.
Mit langen Schritten betrat der Lehrer, Herr Schmidt, das Klassenzimmer. Er legte seine große braune Aktentasche auf das Pult. Dann begrüßte er gut gelaunt die Schülerinnen und Schüler: „Einen wunderschönen guten Morgen! Ich habe jetzt endlich das Diktat von letzter Woche korrigiert. Ihr seid sicherlich schon ganz gespannt darauf, was für Noten ihr geschrieben habt."
Ein lautes Raunen ging durch den

Klassenraum. Offenbar war Leon nicht der Einzige, der am liebsten niemals erfahren würde, wie sein Diktat benotet worden war. Einige Schüler begannen, hektisch miteinander zu tuscheln. Andere starrten still auf den Boden, spielten mit ihren Federmäppchen oder kauten gar vor Aufregung an ihren Fingernägeln.
Herr Schmidt holte einen Papierstapel aus seiner Tasche und ergriff wieder das Wort, um der Klasse den Notenspiegel mitzuteilen. Wie gebannt galt nun die ganze Aufmerksamkeit seinen Worten.
„Es gibt nur eine Eins, vier Mal die Note Zwei, acht Mal die Note Drei. Zwei Vieren und auch leider eine Fünf!"
Leon rutschte das Herz in die Hose. Ihm wurde bei dem Gedanken, dass er vielleicht die Fünf haben könnte, ganz flau im Magen und sein Gesicht wurde kreidebleich.

Er wollte auf keinen Fall die einzige Fünf haben, aber er befürchtete jetzt das Schlimmste.

Herr Schmidt begann nun von vorne nach hinten durch die Reihen zu gehen und jedem Schüler persönlich das Diktat zurückzugeben. Leon und Luca saßen zusammen an einem Tisch in der dritten Reihe. Es dauerte eine Weile, bis Herr Schmidt an ihrem Tisch angelangt war. Für Leon fühlte es sich wie eine halbe Ewigkeit an und er wurde immer aufgeregter. Zuerst gab Herr Schmidt Luca sein Diktat zurück.
Er hielt Lucas Diktat in den Händen, sah auf die Note und sagte dann mit einem Lächeln auf den Lippen: „Sehr schön gemacht, Luca! Du hast die beste Arbeit geschrieben. Du hast nicht einen einzigen Fehler!

Mach weiter so!" Dann legte er fast feierlich das Diktat vor Luca auf den Tisch. Er hatte mal wieder eine Eins. „Juhu", rief Luca vor Freude und er strahlte über beide Ohren. Auch Herr Schmidt war sichtlich gut gelaunt und freute sich für seinen Musterschüler. Nun begann Herr Schmidt damit, im Blätterstapel nach dem Diktat von Leon zu suchen. Als er es gefunden hatte, wurde seine Stimmung wieder ernster. Herr Schmidt legte das Diktat vor Leon auf den Tisch und beugte sich zu ihm nach unten. „Von dir hätte ich eigentlich eine bessere Leistung erwartet. Was war denn los?", flüsterte Herr Schmidt Leon ins Ohr, sodass die anderen Schüler ihn nicht hören konnten. Leon sah nun auf die rote Fünf auf seinem Diktat und schluckte. „Ich ... ich ... ich weiß nicht genau was los war ...", flüsterte er leise zurück.

„Na gut, dann hattest du wohl einen schlechten Tag. Das kann jedem mal passieren! Dein nächstes Diktat wird bestimmt wieder besser sein!", meinte Herr Schmidt leise. Dann stellte er sich wieder aufrecht hin und ging zum nächsten Schüler.

Leon blickte wie versteinert auf sein Diktat. Fast jeder Satz hatte einen Fehler und Herr Schmidt hatte sie alle rot markiert. Am liebsten hätte er sofort an Ort und Stelle losgeheult. Aber vor den anderen Kindern wollte er auf keinen Fall weinen. Daher hielt er seine Tränen zurück und versuchte, sich nichts anmerken zu lassen. So traurig hatte er sich noch nie in seinem ganzen Leben gefühlt.

Zum Glück war der Unterricht schon bald wieder zu Ende. Leon konnte es gar nicht mehr erwarten, endlich alleine in seinem Zimmer zu sein. Auf dem Heimweg dachte Leon darüber nach, was er nur seinen Eltern erzählen sollte. Leon schämte sich dafür, dass er die schlechteste Note geschrieben hatte. Deswegen hätte er am liebsten kein Wort über das Diktat verloren. Aber er sah schnell ein, dass das auch keine Lösung

wäre. Schließlich würden Mama und Papa es ohnehin irgendwann erfahren.
Vielleicht schon beim Elternsprechtag am Freitag, spätestens jedenfalls wenn er sein Zeugnis für dieses Schuljahr bekäme.

Niedergeschlagen kam Leon zu Hause an. Papa war noch bis 14 Uhr bei der Arbeit, aber Mama war schon zu Hause und hatte das Mittagessen für die Familie gekocht.
„Hallo Leon! Schön, dass du da bist. Ich habe uns Spaghetti mit Tomatensauce gekocht. Zum Nachtisch gibt es Apfelmus. Lass uns gleich essen, solange es noch warm ist! Papa kommt heute ein bisschen später von der Arbeit!", erzählte Mama herzlich und gab Leon zur Begrüßung einen Kuss auf die Stirn. Obwohl Leon wegen seiner schlechten Note nur wenig Appetit hatte, setzte er sich zu seiner Mutter an den Tisch. Es dauerte nicht

lange, bis Mama merkte, dass er heute einen traurigen Eindruck machte.
Sie kannte ihren Sohn einfach zu gut und wusste, dass irgendetwas nicht stimmte.
„Was ist denn los, Schätzchen? Warum bist du denn heute so still?", erkundigte sie sich.
Leon zuckte nur mit den Schultern und schwieg.
„Du weißt, dass du mir alles erzählen kannst, was dir auf dem Herzen liegt. Ich bin doch deine Mutter! Ist in der Schule irgendetwas Schlimmes passiert?", fragte Mama und streichelte Leon liebevoll über die Wange.
Endlich konnte sich Leon überwinden

und antwortete mit Tränen in den Augen:
„Ja, ich habe im Diktat eine Fünf bekommen! Ich weiß auch nicht, wie das passieren konnte. Ich habe genug gelernt, aber es war einfach zu schwer für mich."
Tränen begannen nun über seine Wangen zu kullern. Mama nahm ihn fest in den Arm, um ihn zu trösten.

Nachdem sich Leon wieder etwas beruhigt hatte, fing Mama an zu erzählen:
„Auch wenn du es gerade vermutlich ganz anders siehst, finde ich, dass eine schlechte Note kein Weltuntergang ist. Und es ist auch nichts, wofür du dich schämen musst.
Du hast dein Bestes gegeben und das ist, was wirklich zählt. Ich habe in der Schule auch mal eine Fünf geschrieben und war dann sehr traurig. Aber Misserfolge sind eben auch Teil des Lebens. Es kann nicht immer

alles perfekt laufen, auch wenn wir es uns wünschen. Du wirst sicherlich noch öfter die Gelegenheit haben, eine bessere Note zu schreiben. Es ist nicht schlimm, mein Schatz!"
„Doch, es ist sehr wohl schlimm!", widersprach Leon völlig aufgebracht.
„Man muss doch in der Schule gut sein, damit man später mal einen guten Arbeitsplatz bekommt. Außerdem ärgere ich mich, dass Luca immer eine Eins hat. Er ist immer besser als ich! Wieso kann ich nicht so schlau sein wie er?"

Mama antwortete mit sanfter Stimme: „Eine Note sagt nichts darüber aus, was du in deinem Leben erreichen kannst. Wenn du einen Traum hast, ist es das Allerwichtigste, dass du an dich glaubst. Ich werde dich immer liebhaben, egal welche Note du schreibst. Denn du bist ein großartiger Junge

und daran kann keine Note der Welt etwas ändern.
Denn Noten bestimmen nicht den Wert eines Menschen!"

Es dauerte ein wenig, bis Leon wirklich verstand, was Mama ihm gerade sagte. Dann wischte er sich die Tränen aus dem Gesicht, atmete tief durch und sagte dann: „Ich habe dich auch lieb, Mama."
Leon war froh darüber, eine so tolle Mutter zu haben. Er war erleichtert, dass Mama es gar nicht schlimm fand, dass er im Diktat nicht gut gewesen war.
Am Nachmittag kam auch Papa endlich von der Arbeit nach Hause. Er erzählte, dass auch er öfter mal eine schlechte Note geschrieben hatte und nicht der beste Schüler gewesen war.
Doch trotzdem ging er seinen Weg und

hatte heute einen Job, der ihn glücklich machte.

Mama und Papa waren stolz darauf, dass ihr Sohn so mutig war und offen mit ihnen über seine Ängste redete. Leon nahm sich ab jetzt vor, nie mehr wegen einer schlechten Note so traurig zu sein. Denn schließlich gab es noch viel wichtigere Dinge im Leben.
Wie Mama am Mittag so schön sagte:
Eine Note bestimmt nicht den Wert eines Menschen.

Ich werde geliebt!

Die Herausforderung

Brrrrr!" Der Wecker klingelte pünktlich um 6:30 Uhr und Jonas lag noch ganz verschlafen in seinem Bett.
Am liebsten würde er jetzt noch ein wenig weiterschlafen, denn er hörte von draußen den Regen, der an die Fensterscheiben klopfte. Schon das ganze Wochenende über war es trüb und verregnet.

Auch heute Morgen hingen die Wolken tief und ein stürmischer Wind wehte durch die Baumwipfel und Sträucher.

Eigentlich machte Jonas Regen nicht sonderlich viel aus. Denn mit seinem Hund Benni ging er täglich spazieren, egal wie das Wetter war. Während sein Vierbeiner interessiert den Weg beschnüffelte, beobachtete er gerne, wie die Regentropfen in den Pfützen tanzten. Doch heute würde er sich lieber das Kissen über den Kopf legen und einfach weiterträumen.

Da heute aber Montag war und die Schule nach den Ferien wieder begann, konnte Jonas nicht weiter trödeln.

Seit einiger Zeit half er seiner Mutter beim Zubereiten des Frühstücks für die ganze Familie. Jonas war der Älteste und hatte noch zwei kleinere Geschwister. Papa musste schon sehr früh zur Arbeit, deshalb frühstückten sie heute zu viert, ohne ihn. Schnell zog er sich an und lief in die Küche. Mama war schon beim Aufdecken des Geschirrs und Jonas war für das Müsli zuständig. Schnell ein flüchtiges „Guten Morgen" und ein Küsschen auf die Wange und sofort fing er an, Obst zu zerkleinern, das er anschließend zu den Haferflocken und der Milch gab.

„Na Jonas, fühlst du dich fit für deinen neuen Schulweg?", fragte Mama leicht lächelnd. „Von heute an wirst du ja, wie viele andere Kinder, alleine mit dem Zug zur Schule fahren!", fuhr Mama fort.

Jonas war neun Jahre alt und ging in die dritte Klasse. Seine Eltern hatten in den Ferien beschlossen, dass er jetzt alt genug war, alleine mit dem Zug in die nahegelegene Stadt zu fahren, wo sich die Schule befand. Bisher hatten Mama, und ab und zu auch Papa, ihn meistens in die Schule gefahren. Doch das sollte sich jetzt ändern. Für Mama war es oft morgens besonders viel Stress, da ja noch die kleinen Geschwister Anna und Philipp zu versorgen waren.

Seine Eltern hatten Jonas für diese neue Herausforderung gut vorbereitet. Natürlich war er schon öfters mit dem Zug gefahren. Aber noch nie ganz alleine. Mama und Papa hatten ihn in letzter Zeit mehrmals gezeigt, was er alles beim Zugfahren beachten musste. Wo man die Fahrkarte kaufte, auf welchem Gleis der richtige Zug stand, dass man dem Schaffner die Karte zeigen musste und wo Jonas aussteigen sollte.

Eigentlich war er ein wenig stolz darauf, dass er jetzt alleine fahren durfte, aber Jonas war eher ein zurückhaltender und schüchterner Junge. Er hatte zwar viele Freunde.

Aber trotzdem fiel es ihm manchmal schwer, auf fremde Menschen zuzugehen. Wenn Jonas erst einmal ein anderes Kind kennengelernt hatte, dann war er natürlich offen und hatte schnell eine Freundschaft geschlossen. Aber jemanden ansprechen, den man so gar nicht kannte? Das war für Jonas nicht einfach und er fühlte sich unsicher dabei.

Jonas wünschte sich so sehr, dass auch Tim und Finn mit ihm gemeinsam Zugfahren würden. Das waren seine allerbesten Freunde. Aber Tim wohnte gleich neben der Schule und konnte deshalb zu Fuß gehen. Finn wohnte in einem nahegelegenen Dorf

und nahm immer den Bus. Jonas würde also im Zug ganz alleine sein, zusammen mit vielen Menschen, die er nicht kannte.
Das machte ihm irgendwie Angst.

„Ach Mama, kannst du mich bitte heute noch ein letztes Mal zur Schule fahren? Bitte! Es regnet!", bettelte Jonas während des Frühstücks und schaute seine Mama jammernd an.
„Nein, mein Schatz, das haben wir doch gestern schon alles besprochen. Ich habe außerdem schon die Fahrkarte für dich gekauft! Jonas, du kannst das! Ich bin mir ganz sicher, dass du das schaffst!", antwortete Mama überzeugt.
Jonas machte einen großen Seufzer und sah ein, dass es wenig Sinn machte, weiter mit seiner Mutter über dieses Thema zu diskutieren. Er begriff, dass er irgendwann

eben alleine zur Schule fahren musste. Und heute sollte dieser Zeitpunkt sein. Außerdem war er jetzt auch schon alt genug! Nach dem Frühstück verabschiedete sich Jonas von Mama und seinen jüngeren Geschwistern. Ein wenig mulmig, aber auch mit etwas Zuversicht, machte er sich auf den Weg.

Jonas ging zu Fuß zum Bahnhof, der nahe der Wohnung lag. Zum Glück hatte es aufgehört, zu regnen. Im Stillen dachte er sich, dass er doch wirklich alles wusste, worauf er achten musste. Ein wenig mehr Mut kam in ihm auf und seine Schritte wurden bewusster und schneller. Um zum Bahnhof zu gelangen, musste er eine vielbefahrene Straße überqueren. Ein Zebrastreifen und eine Ampel erleichterten ihm den Weg. Bevor Jonas jedoch die Straße überquerte, blickte er aufmerksam nach links und rechts, um zu

sehen, ob wirklich kein Auto kam. Das hatte er von seinen Eltern gelernt.
„Vorsicht ist besser als Nachsicht!", sagte auch immer seine Oma. Um völlig sicherzugehen, schaute er daher noch ein weiteres Mal nach links und rechts und ob die Ampel auch wirklich auf grün war. Alles in Ordnung! Er ging zügig über den Zebrastreifen und kurze Zeit später hatte er den Bahnhof erreicht.

Der Bahnhof kam ihm plötzlich so viel größer und gewaltiger vor als sonst. Viele Menschen tummelten sich vor den Gleisen. Die ein- und abfahrenden Züge übertönten so manches Gespräch. Frauen, Männer, Kinder, so viele an der Zahl! Wahrscheinlich mussten die meisten zur Arbeit, einige zum Einkaufen oder irgendetwas Wichtiges erledigen. Die vielen Kinder hatten sicherlich auch gleich Unterricht. Beeindruckt vom Getümmel suchte Jonas das Gleis mit der Nummer vier. Von dort aus fuhr um 7:38 Uhr sein Zug ab. Pünktlich kam der Zug auch schon langsam angerollt und hielt mit einem lauten Zischen.
Jonas stellte sich hinter eine Gruppe von Zuggästen. Ein älterer Herr öffnete per Knopfdruck die Tür. Jonas stieg behutsam die Treppen hinauf und suchte nun nach einem guten Sitzplatz.

Die Gänge waren eng und überfüllt.
Einige blieben einfach am Fenster stehen und unterhielten sich angeregt. Andere lasen Zeitung oder schauten in ihr Handy.
Die meisten Plätze waren schon belegt. Jonas ließ seinen Blick über die vielen Sitzreihen schweifen. Wo sollte er sich denn hinsetzen? Er wollte auf keinen Fall die ganze Fahrzeit im Stehen verbringen.
Langsam ging er durch den Waggon und ihm wurde bewusst, dass er irgendjemanden

fragen musste, ob er sich dazusetzen durfte. Fast schon am Ende angekommen sah Jonas einen Jungen alleine sitzen. Er hatte seinen Schulranzen auf dem Schoß und starrte mit einem leeren Blick aus dem Fenster.
Jonas zögerte, aber dann entschloss er sich, den Jungen zu fragen, ob er sich dazusetzen könnte. Vielleicht ging er ja auch in die gleiche Grundschule und war sogar froh darüber, Jonas kennenzulernen.
Freundlich fragen kostet nichts! Diesen Ratschlag hatte Jonas mal von seinem Opa bekommen.

„Guten Morgen! Ist der Platz neben dir noch frei?", fragte Jonas mit einem leichten Lächeln auf den Lippen.
„Hallo, ja der Platz ist noch frei! Du kannst dich gerne neben mich setzen!", antwortete der Junge sichtlich erfreut. Jonas nahm

seinen Schulranzen von den Schultern und setzte sich schnell, weil hinter ihm die Menschen durch die Gänge drängten. Dann wandte er sich dem Jungen zu und sagte: „Ich heiße übrigens Jonas!"
„Und ich bin Max", antwortete der Junge. Die beiden lächelten sich kurz an und begannen damit, sich über alle möglichen Dinge zu unterhalten. Sie verstanden sich sofort und bemerkten, dass sie so einiges gemeinsam hatten. Sie gingen in die gleiche Schule, nur Max war bereits in der vierten Klasse. Außerdem hatten sie die gleichen Hobbys, wie zum Beispiel Bilder malen und Fußball spielen.

Die beiden Jungs unterhielten sich so eifrig miteinander, dass sie beinahe vergaßen, dass sie nun aussteigen mussten.
Gemeinsam machten sie sich auf die letzte

Etappe des Schulweges.
Jonas war überglücklich und überzeugt, einen neuen Freund gefunden zu haben. Jonas und Max verabredeten sich sogar, gleich morgen wieder im Zug nebeneinander zu sitzen. Für Jonas war dieser Montag eine wunderschöne Erfahrung. Als Erstes war ihm bewusst geworden, dass er völlig eigenständig seinen Schulweg meistern konnte. So viele Bedenken und Ängste hatten ihn vorher gequält.

Er hatte es geschafft, in einer fremden Umgebung zurecht zu kommen. Und außerdem hatte er sich überwunden, auf jemanden zuzugehen und Kontakt aufzunehmen. Er hatte gelernt, dass man im Leben offen für neue Herausforderungen sein sollte.

Er hatte seine Schüchternheit überwunden und das machte ihn sehr stolz.
Was war das nur für ein besonderer und einzigartiger Tag.

Alle meine Entchen

Schwimmen auf dem See,
Schwimmen auf dem See,
Köpfchen unter Wasser,
Schwänzchen in die Höh'.
Alle meine Gänschen
Watscheln durch den Grund,
Watscheln durch den Grund,

Gründeln in dem Tümpel,
Werden kugelrund.
Alle meine Hühnchen
Scharren in dem Stroh,
Scharren in dem Stroh,
Finden sie ein Körnchen,
Sind sie alle froh.
Alle meine Täubchen
Gurren auf dem Dach,
Gurren auf dem Dach!
Fliegt eins in die Lüfte,
Fliegen alle nach.

Endlich! Emil konnte das ganze Lied auswendig. Zufrieden mit sich und der Welt klappte er sein Schulbuch zusammen und kuschelte sich in seinen Sitzsack.
Sein Blick schweifte durch den Raum.
Ein wenig Entspannung tat jetzt gut.
Morgen sollte er im Musikunterricht das Lied ‚Alle meine Entchen' vor der ganzen Klasse alleine vorsingen.
Nur daran zu denken, machte Emil schon ganz nervös. Alle seine Mitschüler würden dann nur auf ihn starren und sein Musiklehrer würde auch noch den kleinsten Fehler erkennen.

Wenn er dann auch noch plötzlich den Text vergessen würde … Das wäre eine Blamage! Emils Mama half ihm dabei, das Lied auswendig zu lernen. Immer wieder sang Emil ihr das Lied vor oder er übte alleine in seinem

Kinderzimmer. Meistens machte er dabei auch keine Fehler, aber manchmal traf er einige Noten nicht richtig oder er vergaß den Text. Emil fühlte sich dann immer schrecklich.

Mama tröstete ihn jedes Mal und sagte aufmunternd: „Ach Emil, mach dir doch selbst nicht so einen Druck. Jeder macht mal Fehler. Nichts und niemand auf der Welt ist perfekt."
In seinem tiefsten Inneren verstand Emil, dass seine Mutter natürlich recht hatte. Aber trotzdem wollte er keinen einzigen Fehler machen. Er wollte einfach alles perfekt machen und morgen sollte sein großer Tag werden. Schließlich war Musik eines seiner

Lieblingsfächer und er wollte wieder eine Eins auf dem Zeugnis haben wie letztes Jahr. Also übte er seit zwei Wochen täglich. Natürlich war Mama stolz darauf, dass Emil so ehrgeizig war und auch echt toll singen konnte. Aber eigentlich war es ihr gar nicht so wichtig, ob auf dem Zeugnis von Emil nun eine Eins, eine Zwei oder welche Note auch immer stand. Das Allerwichtigste für sie war, dass Emil glücklich war und den Spaß am Gesang nicht verlieren würde.

Es war bereits abends und Emil legte sich im Schlafanzug in sein Bett. Er wollte heute früher als sonst zu Bett gehen, um morgen richtig ausgeschlafen zu sein. Er hatte sein Musikbuch in den Händen. Nochmals las er den Liedtext aufmerksam durch, damit er auch wirklich keine Zeile vergessen würde.

Wie jeden Abend kam Mama vor dem Schlafengehen noch einmal in Emils Kinderzimmer, um ihm gute Nacht zu sagen. Sie wusste natürlich, dass Emil morgen vorsingen würde und deswegen vor Aufregung vielleicht kaum schlafen konnte. Deshalb setzte sie sich kurz an sein Bett. Sie legte behutsam ihre Hand auf seine Schulter und sprach dann mit sanfter Stimme:
„Mach dir wegen morgen keine Sorgen. Du hast dich prima vorbereitet und ich bin mir sicher, dass alles klappen wird."

Emil hob langsam seinen Kopf.
Natürlich hatte er sich gut vorbereitet. Aber das änderte ganz und gar nichts an seiner Aufregung. Er überlegte erst, ob er seine Angst nicht für sich behalten sollte. Aber dann entschied er sich doch dazu, mit

seiner Mama offen über das zu sprechen, was ihn bedrückte. Emil war davon überzeugt, dass es ihm gut tun wird, endlich mit jemandem über seine Sorgen zu sprechen. „Geteiltes Leid ist halbes Leid", sagte Mama ihm immer.

Also entschloss sich Emil dazu, Mama seine Gefühle anzuvertrauen.
„Ich weiß, dass ich gut vorbereitet bin. Aber trotzdem habe ich Angst davor, dass ich den Text vergesse und mich die anderen Kinder dann auslachen!", meinte Emil traurig. Sofort antwortete Mama: „Also ich kann mir nicht vorstellen, dass jemand über dich lachen wird. Ich verrate dir mal ein Geheimnis: Die anderen Kinder sind bestimmt genauso aufgeregt wie du. Das ist ganz normal und nicht schlimm. Selbst wir Erwachsene erleben manchmal

Situationen, in denen wir sehr nervös sind. Aber jetzt solltest du wirklich schlafen gehen, sonst kommst du morgen nicht aus den Federn!" Dann gab Mama Emil noch zärtlich einen Kuss auf die Stirn. Anschließend drehte sie das Licht aus und verließ das Zimmer.

Emil fühlte sich jetzt wieder ein wenig besser. Er war erleichtert und froh darüber, mit Mama gesprochen zu haben. Kurze Zeit

später schlief er ein.

Am nächsten Tag packte Emil seine

Schulsachen für den Unterricht zusammen, frühstückte ausgiebig und machte sich auf den Weg zur Schule. In der ersten Stunde hatte er Deutschunterricht. Normalerweise folgte er dem Unterricht immer mit voller Aufmerksamkeit und größtem Interesse, denn Emil ging gerne in die Schule.

Aber heute fiel es ihm schwer, sich zu konzentrieren und bei der Sache zu bleiben. Er war einfach so aufgeregt und angespannt, weil er bald vor der ganzen Klasse singen würde. Er konnte an nichts anderes mehr denken. Zum Glück hatte er in der nächsten Stunde gleich Musikunterricht und das Warten hatte endlich ein Ende.

Nachdem die Schulglocke zur zweiten Stunde läutete, erhob sich Emils Klassenlehrer Herr Razubi und sagte zu den Kindern: „Wie bereits letzte Woche angekündigt, werden heute einige von euch das Lied ‚Alle meine Entchen' vorsingen. Ich hoffe, dass ihr alle den Text beherrscht und ein wenig zu Hause geübt habt. Wer von euch will als Erster nach vorne kommen und das Lied vorsingen?"

Sofort wurde das ganze Klassenzimmer mucksmäuschenstill. So still, dass man eine Stecknadel hätte fallen hören können.

Die meisten der Mädchen und Jungen neigten ihre Köpfe nach unten oder schwenkten ihre Blicke aus dem Fenster oder zur Wand. Keiner, aber wirklich keiner von ihnen wollte jetzt beginnen.

Nach ungefähr zehn Sekunden der Stille, die sich für Emil eher wie zehn Minuten angefühlt hatten, fuhr Herr Razubi fort: „Na gut. Wenn niemand von euch freiwillig will, dann werde ich eben jemanden

auswählen. Ihr lasst mir keine andere Wahl!"
Nach diesem Satz konnte man die Anspannung im Klassenraum förmlich spüren. Alle Kinder wurden nervös. Emil starrte auf seinen Tisch. Sein Herz begann, schneller und schneller zu pochen. Er wollte auf keinen Fall als Erster vorsingen und sagte sich in Gedanken:
„Bitte nicht ich. Bitte nicht ich."
Doch schließlich sprach Herr Razubi:
„Emil! Komm doch bitte nach vorne und sing uns ‚Alle meine Entchen' vor!"

„So ein Mist aber auch! Wieso gerade ich?", dachte sich Emil leicht verärgert.
Dann ging er mit wackligen Knien und geröteten Wangen von seinem Platz nach vorne zur Tafel. Die anderen Kinder waren sichtlich erleichtert, dass sie nicht als Erstes dran waren.

Jetzt blickten sie alle gespannt auf Emil.

Emil nahm sich kurz Zeit, um sich zu beruhigen. Er atmete ein paar Mal tief durch. Dann begann er, das Lied vorzusingen. Während der ersten Strophe war er noch sehr nervös und man hörte ein leichtes Zittern in seiner Stimme. Doch nach und nach wurde seine Angst immer kleiner und kleiner. Die nächsten zwei Strophen sang er nahezu perfekt.

Doch dann geschah es!
Ein plötzliches Stocken! Wie ging es noch mal weiter?
Emil hatte vergessen, wie die letzte Strophe begann. Hunderte Male übte er den Text und nie hatte er mit der letzten Strophe ein Problem gehabt. Ausgerechnet heute, zur entscheidenden Stunde, vor seinem Lehrer

und all seinen Mitschülern, blieb er stecken. Sein Herz raste und er hob verzweifelt den Blick.

Jetzt schauten ihn natürlich alle mit großen Augen an.
Doch niemand lachte ihn aus oder machte eine dumme Bemerkung. Genauso, wie Mama es ihm gesagt hatte.

Herr Razubi bemerkte natürlich, dass Emil stockte und eigentlich nur eine kleine Hilfe benötigte, um die letzte Strophe beenden zu können.

„Alle meine Täubchen ...", sagte Herr Razubi in der Hoffnung, Emils Gedächtnis wieder auf die Sprünge zu helfen. Sofort konnte sich Emil wieder erinnern. Er sang nun auch die letzte Strophe von Anfang bis Ende fehlerfrei vor.

„Sehr schön gesungen, Emil! Vielen Dank! Du darfst dich wieder setzen!", sagte Herr Razubi erfreut.

Langsam fiel der ganze Druck von Emil ab und er fühlte sich befreit. Obwohl er nicht perfekt gesungen hatte und sogar den Text vergessen hatte, war er zufrieden mit sich. Jetzt waren die anderen Kinder an der Reihe und er hörte aufmerksam zu.

Nach der Stunde fragte Emil Herrn Razubi, welche Note er denn bekommen hat. Eine Zwei! Emil lächelte und war einfach nur glücklich. Wie aufgeregt er gewesen war! Und nun hatte er es endlich geschafft und niemand hatte gelacht, obwohl er für einen Moment den Text vergessen hatte. Emil lernte, dass es gar nicht so schlimm war, wenn man mal einen Fehler machte.

Er war sehr stolz auf sich, weil er sich von seiner Angst nicht hatte unterkriegen lassen. Beim nächsten Mal wird es ihm bestimmt leichter fallen, vor der ganzen Klasse zu stehen. Und wer weiß? Vielleicht würde er später einmal vor ganz vielen Menschen singen und ein Konzert geben? Ach, Träume sind doch etwas Schönes.

Emil konnte es gar nicht erwarten, seiner Mama von allem zu erzählen.

Was für ein ereignisreicher Tag!

Schlusswort

Ich hoffe, dass dir die Geschichten in diesem Buch gefallen haben. Was war deine Lieblingsgeschichte? Welche Geschichte fandest du am Spannendsten? Von welcher Geschichte konntest du am meisten lernen?

Vielleicht hast du dieses Buch ganz alleine gelesen. Das wäre jedenfalls super! Aber auch wenn dir deine Eltern die Geschichten vorgelesen haben, ist das kein Problem. Ich bin mir sicher, dass du in den nächsten

Jahren lernen wirst, immer flüssiger und schneller zu lesen. Übung macht den Meister!

Dieses Buch hat dir hoffentlich gezeigt, dass du vor Herausforderungen in deinem Leben keine Angst haben musst. Du kannst fast alles schaffen, wenn du an dich glaubst.
Du bist ein wunderbarer Junge.
Vergiss das nicht!

Ich bin ein wunderbarer Junge!